Color Coding Chinese Character Tonal System

We are grateful to Dr. Terry Waltz for introducing to us the concept of using color-coded hanzi to indicate tones in Chinese. After seeing the results our students have achieved with this new system, we are excited to implement it. There are a variety of color-coding systems being used, and after further research, we have adopted the "de facto tone colors" as defined by Nathan Dummitt.

Therefore, the colors in the books indicate the following:
1. RED (High Alert) - high flat tone, first tone
2. ORANGE (Rising Sun) - rising tone, second tone
3. GREEN (Green Valley) - goes down and then up, third tone
4. BLUE (Deep Blue Sea) - goes down, fourth tone
5. Gray - Neutral tone

Contents

故事一　菲菲不要 Field Trip　......................02

故事二　校车到了加油站　......................12

故事三　菲菲不会滑雪　......................26

故事四　卡拉 OK 赛　......................38

词索　......................52

Gùshì yī Fēifēi bùyào Field Trip　..................03

Gùshì èr Xiàochē dàole jiāyóu zhàn 13

Gùshì sān Fēifēi bù huì huáxuě　..................27

Gùshì sì Kǎlā OK sài　..................39

Cí suǒ　..................52

献给我的至爱 Joe

————卢海云

献给婷婷、小泉和他们未出生的女儿，愿你们平安喜乐；献给玉冰和刘磊，祝你们新婚快乐！

————孔哲

菲菲不要 Field Trip

三个星期了，天天都在下雨，好冷呀！一个星期以后是他们的"Field Trip 日"。如果这个星期也下雨，如果这个星期不下雪，他们就不能去他们的 field trip 了。

为什么？因为他们的 field trip 是去滑雪。

Fēifēi bùyào Field Trip

sān gè xīngqíle, tiāntiān dōu zài xiàyǔ, hǎo lěng ya! Yīgè xīngqī yǐhòu shì tāmen de "Field Trip rì". Rúguǒ zhège xīngqī yě xiàyǔ, rúguǒ zhège xīng qī bú xiàxuě, tāmen jiù bùnéng qù tāmende field trip le.

Wèishéme? Yīnwèi tāmen de field trip shì qù huáxuě.

星期一，突然不下雨了。星期二和星期三都是阴天。星期四，谢谢老天，开始下雪了！星期五开始下大雪，星期六还在下大雪。哪儿都是白色的。他们可以有"Field Trip 日"了！

可是，有一只猫不为下雪兴奋。有一只猫不为他们的 field trip 兴奋。有一只猫不为滑雪兴奋。
谁？

菲菲！

Xīngqī yī, tūrán bù xiàyǔle. Xīngqī èr hé xīngqīsān dōu shì yīntiān. Xīngqīsì, xièxie lǎotiān, kāishǐ xià xuěle! Xīngqīwǔ kāishǐ xià dàxuě, xīngqīliù háizài xià dàxuě. Nǎ'er dōu shì báisè de. Tāmen kěyǐ yǒu "Field Trip rì"le!

Kěshì, yǒuyī zhī māo bùwéi xiàxuě xīngfèn. Yǒuyī zhī māo bù wéi tāmen de field trip xīngfèn. Yǒuyī zhī māo bù wéi huáxuě xīngfèn.
Shéi?

Fēifēi!

菲菲不喜欢这个 field trip！这个王老师！他天天说他们需要会滑雪。滑雪，滑雪！菲菲不喜欢滑雪。

不喜欢滑雪？为什么？Shhhhhhhhh... 因为菲菲不会滑雪！

为什么他们的 field trip 不是去动物园？如果他们的 field trip 是去动物园，菲菲会喜欢的。

Fēifēi bù xǐhuān zhège field trip! Zhège Wáng lǎoshī! Tā tiāntiān shuō tāmen xūyào huì huáxuě. Huáxuě, huáxuě! Fēifēi bù xǐhuān huáxuě.

Bù xǐhuān huáxuě? Wèishéme? Shhhhhhhhh... Yīnwèi Fēifēi bù huì huáxuě!

Wèishéme tāmen de field trip bùshì qù dòngwùyuán? Rúguǒ tāmen de field trip shì qù dòngwùyuán, Fēifēi huì xǐhuān de.

菲菲爱动物，菲菲也喜欢跟动物们玩儿。可是，他们的 field trip 不去动物园。

为什么他们的 field trip 不是去饭店吃饭？

菲菲爱吃饭。他最爱跟 Bravo 一起吃饭。他们什么都爱吃！

热狗，比萨，饺子，汉堡包！意大利面，中国面！对了，为什么他们的 field trip 不是一个吃面比赛？

美国有吃热狗比赛！

中国有吃臭豆腐比赛！

英国有吃 Monster Red Ruby 汉堡包比赛！

意大利有吃比萨比赛！

Fēifēi ài dòngwù, Fēifēi yě xǐhuān gēn dòngwùmen wán er. Kěshì, tāmen de field trip bù qù dòngwùyuán.
Wèishéme tāmen de field trip bùshì qù fàndiàn chīfàn? Fēifēi ài chīfàn. Tā zuì ài gēn Bravo yīqǐ chīfàn. Tāmen shénme dōu ài chī!

Règǒu, pīsà, jiǎozi, hànbǎobāo! Yìdàlì miàn, zhōngguó miàn! Duìle, wèishéme tāmen de field trip bùshì yīgè chī miàn bǐsài?

Měiguó yǒu chī règǒu bǐsài!
Zhōngguó yǒu chī chòu dòufu bǐsài!
Yīngguó yǒu chī Monster Red Ruby hànbǎobāo bǐsài! Yìdàlì yǒu chī pīsà bǐsài!

可是他们的 field trip 是滑雪！

菲菲不会滑雪。菲菲不会游泳，菲菲也不会打蓝球 ...

唉，运动！运动！

菲菲不会运动！

菲菲一点都不会运动！

菲菲怕运动！

为什么？

为什么这个 field trip 要去滑雪？

Kěshì tāmen de field trip shì huáxuě!
Fēifēi bù huì huáxuě. Fēifēi bù huì yóuyǒng, Fēifēi yě bù huì dǎ lánqiú…

Ai, yùndòng! Yùndòng!

Fēifēi bù huì yùndòng!

Fēifēi yīdiǎn dōu bù huì yùndòng!

Fēifēi pà yùndòng!

Wèishéme?

Wèishéme zhège field trip yào qù huáxuě?

校车到了加油站

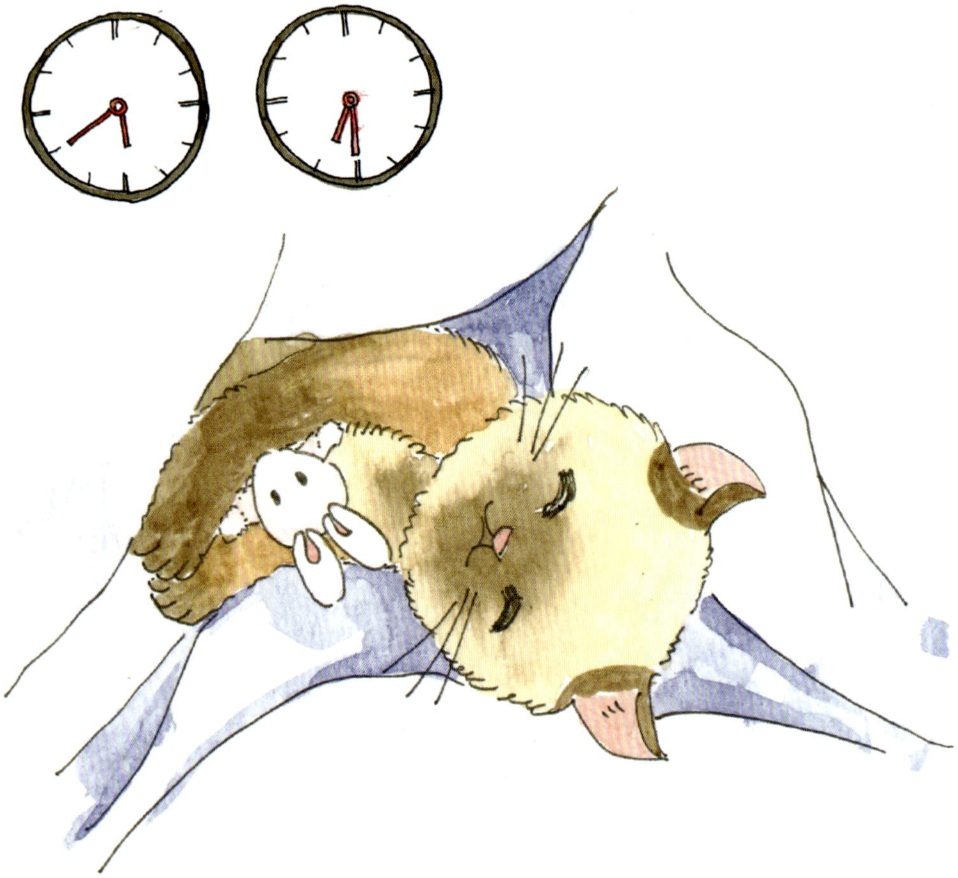

Xiàochē dàole jiāyóu zhàn

星期一到了!

早上5点40分,菲菲睡不着了。今天下雨吗?如果下雨,他们就不需要去今天的field trip。可是没有下雨,也没有下雪。唉,今天菲菲需要去滑雪了。

菲菲很累。早上5点40分,太早了。菲菲闭上眼睛,等了很久很久,睁开眼睛一看,六点!

菲菲又闭上眼睛,又等了很久很久。又睁开眼睛一看唉,六点半,还是太早!菲菲就又闭上了眼睛。菲菲什么都不想,什么都不想。菲菲睡着了。

xīngqī yī dàole!

Zǎoshang 5 diǎn 40 fēn, Fēifēi shuì bùzháole. Jīntiān xià yǔ ma? Rúguǒ xià yǔ, tāmen jiù bù xūyào qù jīntiān de field trip. Kěshì méiyǒu xià yǔ, yě méiyǒu xià xuě. Ai, jīntiān Fēifēi xūyào qù huáxuěle.

Fēifēi hěn lèi. Zǎoshang 5 diǎn 40 fēn, tài zǎole. Fēifēi bì shàng yǎnjīng, děngle hěnjiǔ hěnjiǔ, zhēng kāi yǎnjīng yī kàn, liù diǎn!

Fēifēi yòu bì shàng yǎnjīng, yòu děngle hěnjiǔ hěnjiǔ. Yòu zhēng kāi yǎnjīng yī kàn, ai, liù diǎn bàn, háishì tài zǎo! Fēifēi jiù yòu bì shàngle yǎnjīng. Fēifēi shénme dōu bùxiǎng, shénme dōu bùxiǎng. Fēifēi shuìzháole.

突然，菲菲听到有人在叫。

睁开眼睛一看，7点45分！不好，不好！绿色校车要在8点开走。快快快，菲菲！

菲菲很饿，但是菲菲什么都没有吃。菲菲想要上厕所，可是没有时间了。因为绿色校车要在8点开走。菲菲开始跑。虽然他不会滑雪，虽然他也不想去滑雪，但是他需要去滑雪。不然，什么是"good sports"？

Tūrán, Fēifēi tīng dào yǒurén zài jiào. Zhēng kāi yǎnjīng yī kàn, 7 diǎn 45 fēn! Bù hǎo, bù hǎo! Lǜsè xiàochē yào zài 8 diǎn kāi zǒu. Kuài kuài kuài, Fēifēi!

Fēifēi hěn è, dànshì Fēifēi shénme dōu méiyǒu chī. Fēifēi xiǎng yào shàng cèsuǒ, kěshì méiyǒu shíjiānle. Yīnwèi lǜsè xiàochē yào zài 8 diǎn kāi zǒu. Fēifēi kāishǐ pǎo. Suīrán tā bù huì huáxuě, suīrán tā yě bùxiǎng qù huáxuě, dànshì tā xūyào qù huáxuě. Bùrán, shénme shì "good sports"?

同学们，如果是你，你会不会去呢？

"...38, 39, 40, 41, 42, 43... 谁没有来？" 王老师在数数。"是菲菲！" 星星大声地说。"老师，您看！菲菲来了，菲菲来了！" 星星看到了菲菲，星星又对王老师大声说。

菲菲上车了。

Tóngxuémen, rúguǒ shì nǐ, nǐ huì bù huì qù ne?

"... 38, 39, 40, 41, 42, 43... Shéi méiyǒu lái?" Wáng lǎoshī zài shǔshù. "Shì Fēifēi!" Xīngxīng dàshēng de shuō. "Lǎoshī, nín kàn! Fēifēi láile, fēifēi láile!" Xīngxīng kàn dàole Fēifēi, Xīngxīng yòu duì wáng lǎoshī dàshēng shuō.
Fēifēi shàng chēle.

"好了，我们走了！开车了！"王老师说。

"菲菲，这儿！"星星对菲菲说。"你不想去滑雪了？你怕了吗？"Tugger 一看到菲菲就说。菲菲什么都没有说。

Elvis 不喜欢 Tugger 对菲菲不好。Elvis 不高兴地看看 Tugger，Tugger 怕 Elvis，Tugger 不说了。

绿色校车开走了！猫咪们好兴奋呀！一个 Field Trip，今天他们不需要上课！今天他们也没有功课。可是菲菲很怕，菲菲很紧张。

"Hǎole, wǒmen zǒule! Kāichēle!" Wáng lǎoshī shuō.

"Fēifēi, zhè'er!" Xīngxīng duì Fēifēi shuō.

"Nǐ bùxiǎng qù huáxuěle? Nǐ pàle ma?" Tugger yī kàn dào Fēifēi jiù shuō. Fēifēi shénme dōu méiyǒu shuō.

Elvis bù xǐhuān Tugger duì Fēifēi bù hǎo. Elvis bù gāoxìng de kàn kàn Tugger, Tugger pà Elvis, Tugger bù shuōle.

Lǜsè xiàochē kāi zǒule! Māomīmen hǎo xīngfèn ya! Yīgè Field Trip, jīntiān tāmen bù xūyào shàngkè! Jīntiān tāmen yě méiyǒu gōngkè. Kěshì Fēifēi hěn pà, Fēifēi hěn jǐnzhāng.

不久，菲菲又有了一个麻烦！

菲菲早上没有时间上厕所，菲菲需要上厕所了。菲菲需要尿尿。可是，可是，怎么办？

在校车上没有厕所，他不能在校车上尿尿呀！他也不能尿裤子呀！

"你好吗？"星星问菲菲。"我...我...早上没有时间上厕所。我需要尿尿！可是，我怕Tugger会笑我。"

星星很聪明，星星知道怎么办！星星大声对王老师说："老师，老师，我早上喝了太多绿茶，我需要上厕所。我可以上厕所吗？"

Bùjiǔ, Fēifēi yòu yǒule yīgè máfan!

Fēifēi zǎoshang méiyǒu shíjiān shàng cèsuǒ, Fēifēi xūyào shàng cèsuǒle. Fēifēi xūyào niào niào. Kěshì, kěshì, zěnme bàn?
Zài xiàochē shàng méiyǒu cèsuǒ, tā bùnéng zài xiàochē shàng niào niào ya! Tā yě bùnéng niào kùzi ya!

"Nǐ hǎo ma?" Xīngxīng wèn Fēifēi. "Wǒ... Wǒ... Zǎoshang méiyǒu shíjiān shàng cèsuǒ. Wǒ xūyào niào niào! Kěshì, wǒ pà Tugger huì xiào wǒ."

Xīngxīng hěn cōngmíng, Xīngxīng zhīdào zěnme bàn!
Xīngxīng dàshēng duì Wáng lǎoshī shuō: "Lǎoshī, lǎoshī, wǒ zǎoshang hēle tài duō lǜchá, wǒ xūyào shàng cèsuǒ. Wǒ kěyǐ shàng cèsuǒ ma?"

"上厕所？在哪儿上厕所？你可以等一下吗？"王老师说。"老师，请快点，我早上喝了太多绿茶，我需要快点上厕所！我要尿裤子了！"

同学们一听都笑了。"好吧，好吧，看，那儿有一个加油站。同学们，你们都去上厕所，好吗？"

"什么？老师！我可以不上厕所吗？我不需要尿尿！"

"我也不需要！""我没有尿！""我也没有！"

"啊？！"可怜的王老师！

"Shàng cèsuǒ? Zài nǎ'er shàng cèsuǒ? Nǐ kěyǐ děng yīxià ma?" Wáng lǎoshī shuō. "Lǎoshī, qǐng kuài diǎn, wǒ zǎoshang hēle tài duō lǜchá, wǒ xūyào kuài diǎn shàng cèsuǒ! Wǒ yào niào kùzile!"

Tóngxuémen yī tīng dōu xiàole. "Hǎo ba, hǎo ba, kàn, nà'er yǒu yīgè jiāyóu zhàn. Tóngxuémen, nǐmen dōu qù shàng cèsuǒ, hǎo ma?"

"Shénme? Lǎoshī! Wǒ kěyǐ bù shàng cèsuǒ ma? Wǒ bù xūyào niào niào!"

"Wǒ yě bù xūyào!" "Wǒ méiyǒu niào!" "Wǒ yě méiyǒu!"

"A?!" Kělián de wáng lǎoshī!

菲菲不会滑雪

菲菲和他的朋友们都在山上。王老师对他们大声说他们可以做什么，他们不可以做什么……没有人听。他们都太兴奋了。Field trip 太好玩了，不上课，今天也没有功课，他们可以滑雪！
当然很兴奋！

Fēifēi bù huì huáxuě

Fēifēi hé tā de péngyǒumen dōu zài shānshàng. Wáng lǎoshī duì tāmen dàshēng shuō tāmen kěyǐ zuò shénme, tāmen bù kěyǐ zuò shénme... méiyǒu rén tīng. Tāmen dōu tài xīngfènle. Field trip tài hǎowánle, bù shàngkè, jīntiān yě méiyǒu gōngkè, tāmen kěyǐ huáxuě!
Dāngrán hěn xīngfèn!

菲菲当然很怕滑雪,所以他在最后。他看到 Elvis 第一个滑下山。Elvis 滑得又快又好!太棒了,Elvis!

然后是 Dylan 和星星一起。Dylan 和星星也滑得又快又好。他们也很快就滑下了山。

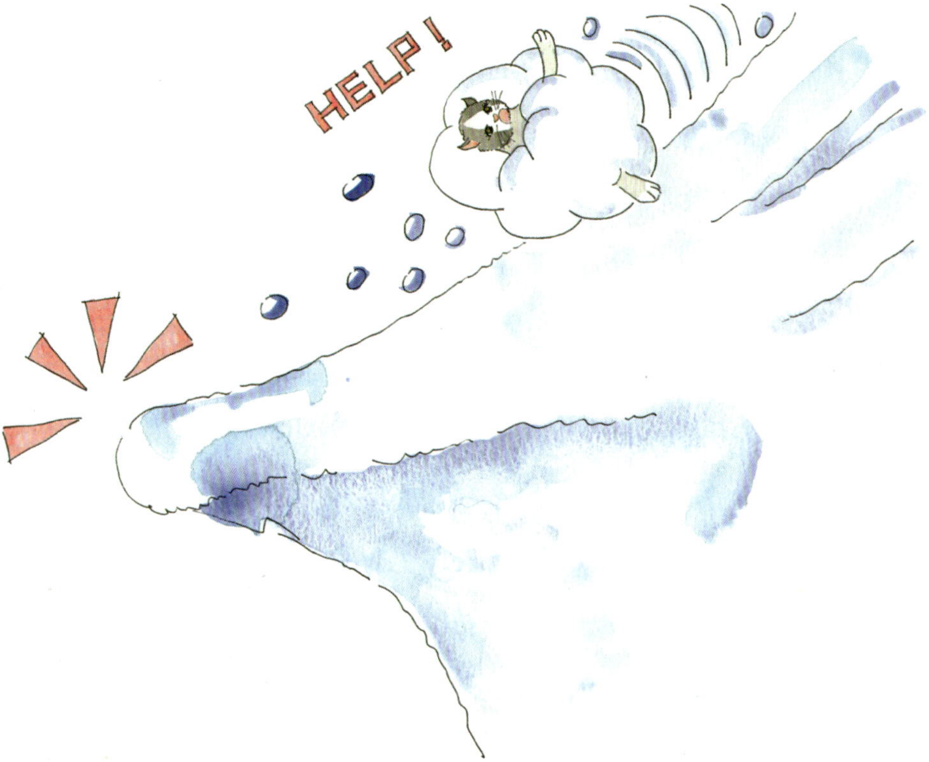

Fēifēi dāngrán hěn pà huáxuě, suǒyǐ tā zài zuìhòu. Tā kàn dào Elvis dì yīgè huá xiàshān. Elvis huá dé yòu kuài yòu hǎo! Tài bàngle, Elvis!
Ránhòu shì Dylan hé Xīngxīng yīqǐ. Dylan hé Xīngxīng yě huá dé yòu kuài yòu hǎo. Tāmen yě hěn kuài jiù huá xiàle shān.

然后，Bravo 和 Piano 要一起滑雪了。Bravo 滑雪滑得很好，Bravo 也滑雪滑得很快。他也很快就滑下了山。可是 Piano 呢？Piano 有一个主意。她要倒着滑下山。"看我，看我！" Piano 对同学们大叫。大家都看着 Piano 倒着滑。Piano 太棒了！Piano 会倒着滑雪！

突然，不好，Piano 倒了！

天哪，Piano 是一个雪球了！不好，"雪球"要下山了！所有的人都看着"雪球"，没有人说话也没有人动。怎么办？

菲菲快快看看 Tugger。Tugger 会有主意吗？可是，Tugger 在看着 Piano 笑。可恶，Tugger！你，你，你...！！！Piano 是你的同学！Piano 也是你的朋友！你不可以笑！菲菲非常生气。菲菲非常生 Tugger 的气。

Ránhòu,Bravo hé Piano yào yīqǐ huáxuěle. Bravo huáxuě huá dé hěn hǎo,Bravo yě huáxuě huá dé hěn kuài. Tā yě hěn kuài jiù huá xiàle shān. Kěshì Piano ne?Piano yǒu yīgè zhǔyì. Tā yào dàozhe huá xiàshān. "Kàn wǒ, kàn wǒ!" Piano duì tóngxuémen dà jiào. Dàjiā dōu kànzhe Piano dàozhe huá. Piano tài bàngle!Piano huì dàozhe huáxuě!

Tūrán, bù hǎo,Piano dǎole!

Tiānna,Piano shì yīgè xuě qiúle! Bù hǎo, "xuě qiú" yào xiàshānle! Suǒyǒu de rén dōu kànzhe "xuě qiú", méiyǒu rén shuōhuà yě méiyǒu rén dòng. Zěnme bàn?

Fēifēi kuài kuài kàn kàn Tugger. Tugger huì yǒu zhǔyì ma? Kěshì,Tugger zài kànzhe Piano xiào. Kěwù,Tugger! Nǐ, nǐ, nǐ...!!! Piano shì nǐ de tóngxué! Piano yěshì nǐ de péngyǒu! Nǐ bù kěyǐ xiào! Fēifēi fēicháng shēngqì. Fēifēi fēicháng shēng Tugger de qì.

王老师快快地走来走去，王老师也不知道怎么办。突然，菲菲有了一个主意。菲菲知道怎么办！菲菲跑到王老师那儿，菲菲对王老师说了什么。

王老师快快点点头。

菲菲抱起王老师，菲菲开始转圈。转了一圈，转了两圈，转了三圈，转了四圈，转了五圈……突然，王老师开始"飞"了，王老师"飞"到了"雪球"上。

Wáng lǎoshī kuài kuài dì zǒu lái zǒu qù, Wáng lǎoshī yě bù zhīdào zěnme bàn. Tūrán, Fēifēi yǒule yīgè zhǔyì. Fēifēi zhīdào zěnme bàn! Fēifēi pǎo dào Wáng lǎoshī nà'er, Fēifēi duì Wáng lǎoshī shuōle shénme.

Wáng lǎoshī kuài kuài diǎndiǎn tóu.
Fēifēi bào qǐ Wáng lǎoshī, Fēifēi kāishǐ zhuànquān. Zhuǎnle yī quān, zhuǎnle liǎng quān, zhuǎnle sān quān, zhuǎnle sì quān, zhuǎnle wǔ quān... Tūrán, Wáng lǎoshī kāishǐ "fēi"le, Wáng lǎoshī "fēi" dàole "xuě qiú" shàng.

"Hooray！！！"大家都大叫起来。"王老师，谢谢您！谢谢您！" Piano 抱着王老师大叫。"不不不，不要谢我。是菲菲！你去谢菲菲！" Piano 跑到菲菲那儿，Piano 抱着菲菲大叫："谢谢你，菲菲！谢谢你！"

"Hooray!!!" Dàjiā dōu dà jiào qǐlái. "Wáng lǎoshī, xièxiè nín! Xièxiè nín!" Piano bàozhe Wáng lǎoshī dà jiào. "Bù bù bù, bùyào xiè wǒ. Shì Fēifēi! Nǐ qù xiè Fēifēi!" Piano pǎo dào Fēifēi nà'er, Piano bàozhe Fēifēi dà jiào: "Xièxiè nǐ, Fēifēi! Xièxiè nǐ!"

"不客气，不客气！是王老师，你去谢谢王老师。"菲菲说。

"王老师，为什么我们的 field trip 是滑雪？要是'雪球'Piano…"一个人问。

"对对对，为什么我们的 field trip 不是去饭店吃饭？我要请大家吃饭！我要谢谢大家。我要谢谢王老师，我要谢谢菲菲！"

"吃饭？"菲菲听了最高兴。"Piano，我们可以去吃中国饭吗？"
"当然可以！"
"王老师？王老师？"

"好吧，好吧。"

"Bù kèqì, bù kèqì! Shì Wáng lǎoshī, nǐ qù xièxiè Wáng lǎoshī." Fēifēi shuō.
"Wáng lǎoshī, wèishéme wǒmen de field trip shì huáxuě? Yàoshi 'xuě qiú'Piano..." Yīgè rén wèn.

"Duì duì duì, wèishéme wǒmen de field trip bùshì qù fàndiàn chīfàn? Wǒ yào qǐng dàjiā chīfàn! Wǒ yào xièxiè dàjiā. Wǒ yào xièxiè Wáng lǎoshī, wǒ yào xièxiè Fēifēi!"

"Chīfàn?" Fēifēi tīngle zuì gāoxìng. "Piano, wǒmen kěyǐ qù chī zhōngguó fàn ma?"
"Dāngrán kěyǐ!"
"Wáng lǎoshī? Wáng lǎoshī?"
"Hǎo ba, hǎo ba."

卡拉 OK 赛

吃中国饭当然要去一家中国饭店。不过,不是所有的中国饭店的中国饭都好吃。在 Wonzel Town 有两家好吃的中国饭店——《小上海》和《老北京》。在《老北京》吃饭需要打 majiang。不过,在《小上海》吃饭需要唱 Karaoke。

Kǎlā OK sài

chī zhōngguó fàn dāngrán yào qù yījiā zhōngguó fàndiàn. Bùguò, bùshì suǒyǒu de zhōngguó fàndiàn de zhōngguó fàn dōu hǎo chī. Zài Wonzel Town yǒu liǎng jiā hǎo chī de zhōngguó fàndiàn —— "Xiǎo shànghǎi" hé "Lǎo běijīng". Zài "Lǎo běijīng" chīfàn xūyào dǎ majiang. Bùguò, zài "Xiǎo shànghǎi" chīfàn xūyào chàng Kǎlā OK.

"唱歌？我会，我会！"Piano 高兴地说。"听听，'你和我 ... 在一起 ... 我们心 ... 心 ... 心 ... ，'"

"不对，不对！听我唱！"Tugger 一点都不给 Piano 面子。"Tugger，不给女孩子们面子，她们是不会喜欢你的！""我和你，心爱心 ... ""不对，不对！也唱得不对！你唱得不好听。"

"好了，好了！同学们！我们开始吃吧。等一下唱 Karaoke。"王老师说。"吃饭了！"王老师点了鸡，点了鱼，点了肉，点了菜。

王老师也点了饺子和米饭。王老师当然也点了炒面！菲菲和 Bravo 一看到炒面就要比赛。天哪，他们把所有的炒面都吃了。他们还想要！"老师，炒面没了！可以多给我们一点吗？"

"啊？！"

"Chànggē? Wǒ huì, wǒ huì!" Piano gāoxìng de shuō. "Tīng tīng,'nǐ hé wǒ... Zài yīqǐ... Wǒmen xīn... Xīn... Xīn...'" "Bùduì, bùduì! Tīng wǒ chàng!"Tugger yīdiǎn dōu bù gěi Piano miànzi. "Tugger, bù gěi nǚháizimen miànzi, tāmen shì bù huì xǐhuān nǐ de!" "Wǒ hé nǐ, xīn ài xīn..." "Bùduì, bùduì! Yě chàngde bùduì! Nǐ chàngde bù hǎotīng."

"Hǎole, hǎole! Tóngxuémen! Wǒmen kāishǐ chī ba. Děng yīxià chàng Kǎlā OK." Wáng lǎoshī shuō. "Chīfànle!" Wáng lǎoshī diǎnle jī, diǎnle yú, diǎnle ròu, diǎnle cài.
Wáng lǎoshī yě diǎnle jiǎozi hé mǐfàn. Wáng lǎoshī dāngrán yě diǎnle chǎomiàn! Fēifēi hé Bravo yī kàn dào chǎomiàn jiù yào bǐsài. Tiānna, tāmen bǎ suǒyǒu de chǎomiàn dōu chīle. Tāmen hái xiǎng yào! "Lǎoshī, chǎomiàn méiliǎo! Kěyǐ duō gěi wǒmen yīdiǎn ma?"

"A?!"

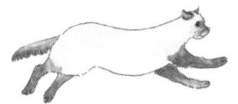

好了，Karaoke 开始了！

Piano 第一个唱。"一，二，三，四，五，六，七，我的朋友在哪里..." "好——！" Piano 唱歌唱得太好听了！

然后是 Dylan 唱。

Dylan 说："我给大家唱唱《对不起我的中文不好》吧！" "对不起我的中文不好！" 同学

Hǎole, Kǎlā OK kāishǐle!

Piano dì yī gè chàng. "Yī, èr, sān, sì, wǔ, liù, qī, wǒ de péngyǒu zài nǎlǐ..." "Hǎo——!" Piano chànggē chàngde tài hǎotīngle!

Ránhòu shì Dylan chàng.
Dylan shuō:"Wǒ gěi dàjiā chàng chàng "duìbùqǐ wǒ de zhōngwén bù hǎo" ba!" "Duìbùqǐ wǒ de zhōngwén bù hǎo!" Tóngxuémen dōuhuì chàng.

们都会唱。所有的人都和 Dylan 一起唱。唱歌好开心。

Tugger 开始唱了！"唉，Tugger，聪明点！"可是，Tugger 不聪明。

Tugger 对 Piano 唱歌："对面的女孩看过来，看过来，看过来..."

"不好听！不要唱了！" Piano 生气了。

Piano 生 Tugger 的气了。Tugger 没面子了！Tugger 想要 Piano 喜欢他，Tugger 想要 Piano 喜欢他的歌！可是 Piano 一点都不给他面子。Tugger 很生气。

Tugger，你要做什么？

Suǒyǒu de rén dōu hé Dylan yīqǐ chàng. Chànggē hǎo kāixīn.

Tugger kāishǐ chàngle!"Ai,Tugger, cōngmíng diǎn!" Kěshì,Tugger bù cōngmíng.

Tugger duì Piano chànggē:"Duìmiàn de nǚ hái kàn guòlái, kàn guòlái, kàn guòlái…"

"Bù hǎotīng! Bùyào chàngle!"Piano shēngqìle.

Piano shēng Tugger de qìle. Tugger méi miànzile! Tugger xiǎng yào Piano xǐhuān tā,Tugger xiǎng yào Piano xǐhuān tā de gē! Kěshì Piano yīdiǎn dōu bù gěi tā miànzi. Tugger hěn shēngqì.

Tugger, nǐ yào zuò shénme?

Tugger 看看菲菲。hmmmm,菲菲怕滑雪。菲菲不会滑雪，菲菲不会游泳，菲菲也不会打篮球... 菲菲不会运动！

那么，唱歌呢？ Hmmmmm,为什么菲菲不唱 karaoke 呢？菲菲会唱歌吗？

Tugger 大声说："同学们，我们都唱歌了。可是，我们的 H.E.R.O —— 菲菲没有唱！菲菲也需要唱歌，对不对？""对——！"很多猫都一起大叫。

星星紧张地看看 Dylan 和 Elvis，怎么办？那个 Tugger！星星，快点，想个主意！可是，星星没有主意！

Tugger kàn kàn Fēifēi. Hmmmm, Fēifēi pà huáxuě. Fēifēi bù huì huáxuě, Fēifēi bù huì yóuyǒng, Fēifēi yě bù huì dǎ lán qiú... Fēifēi bù huì yùndòng!

Nàme, chànggē ne? Hmmmmm, wèishéme Fēifēi bù chàng Kǎlā OK ne? Fēifēi huì chànggē ma?

Tugger dàshēng shuō:"Tóngxuémen, wǒmen dōu chànggēle. Kěshì, wǒmen de H.E.R.O —— Fēifēi méiyǒu chàng! Fēifēi yě xūyào chànggē, duì bùduì?" "Duì——!" Hěnduō māo dōu yīqǐ dà jiào.

Xīngxīng jǐnzhāng de kàn kàn Dylan hé Elvis, zěnme bàn? Nàgè Tugger! Xīngxīng, kuài diǎn, xiǎng gè zhǔyì! Kěshì, Xīngxīng méi yǒu zhǔyì!

"菲菲唱,菲菲唱!"同学们都很兴奋。"不要紧张,要是你太紧张了,你会尿裤子!"同学们都笑了。

菲菲知道他需要唱歌,如果他不唱歌,Tugger会天天笑他。

"好吧。我给大家唱唱《O Sole Mio——我的太阳》,请不要笑我。"

"啊——《我的太阳》!不要笑他,如果有一天猫不吃鱼,我就不会笑他。菲菲是一个Pavarotti吗?"Tugger又说。Tugger,你,你!

"Fēifēi chàng, Fēifēi chàng!" Tóngxuémen dōu hěn xīngfèn. "Bùyào jǐnzhāng, yàoshi nǐ tài jǐnzhāngle, nǐ huì niào kùzi!" Tóngxuémen dōu xiàole.
Fēifēi zhīdào tā xūyào chànggē, rúguǒ tā bù chànggē, Tugger huì tiāntiān xiào tā.

"Hǎo ba. Wǒ gěi dàjiā chàng chàng "O Sole Mio ——wǒ de tàiyáng", qǐng bùyào xiào wǒ."

"A—— "wǒ de tàiyáng"! Bùyào xiào tā, rúguǒ yǒu yītiān māo bù chī yú, wǒ jiù bù huì xiào tā. Fēifēi shì yī gè Pavarotti ma?" Tugger yòu shuō. Tugger, nǐ, nǐ!

"啊啊啊啊啊啊——"菲菲开始唱了。菲菲一唱,就没有人说话,没有人笑,没有人吃,没有人喝,也没有人动了!菲菲唱得太好了!

"Pavarotti! Pavarotti!"
"Hooray! Luciano Pavarotti!" "对 对 对!菲菲是我们的 Pavarotti! 菲菲是我们的 H.E.R.O!"

星星,小天还有 Piano 都哭了。"菲菲,我们都不知道,你唱歌唱得这么好!"

"哪里,哪里。"菲菲说。

"A a a a a a——" Fēifēi kāishǐ chàngle. Fēifēi yī chàng, jiù méiyǒu rén shuōhuà, méiyǒu rén xiào, méiyǒu rén chī, méiyǒu rén hē, yě méiyǒu rén dòngle! Fēifēi chàngde tài hǎole!

"Pavarotti! Pavarotti!"
"Hooray! Luciano Pavarotti!" "Duì duì duì! Fēifēi shì wǒmen de Pavarotti! Fēifēi shì wǒmen de H.E.R.O!"

Xīngxīng, Xiǎotiān hái yǒu Piano dōu kūle. "Fēi fēi, wǒmen dōu bù zhīdào, nǐ chànggē chàngde zhème hǎo!"

"Nǎlǐ, nǎlǐ." Fēi fēi shuō.

词索

拼音	英文	汉字	页码
bàoqǐ	pick up	抱起	30
bǐsài	competition, race	比赛	08
bìshàngyǎnjīng	close eyes	闭上眼睛	14
bùjiǔ	shortly	不久	34
búkèqi	you are welcome!	不客气	34
bùrán	otherwise	不然	16
búxiàxuě	doesn't snow	不下雪	02
chànggē	sing a song	唱歌	38
chǎomiàn	stir-fry noodles	炒面	38
chòudòufu	stinky tofu	臭豆腐	08
cōngmíngdiǎn	be smart!	聪明点	42
dǎlánqiú	play basketball	打篮球	42
dǎole	fell	倒了	28
dàozhe	backwards	倒着	28
děnglehěnjiǔ	waited for long time	等了很久	14
děngyíxià	wait a little	等一下	22
diǎnle	ordered	点了	38
dìyīgè	first	第一个	26
dòngwù	animals	动物	08
dòngwùyuán	zoo	动物园	06
fàndiàn	restaurant	饭店	08
hǎolěngya	so cold	好冷呀	02
hěnlèi	too tired	很累	14
huáxuě	ski	滑雪	02
jiǎozi	dumplings	饺子	08
kāizǒu	drive away	开走	14
kěliánde	poor	可怜的	22
lǎoběijīng	Old Beijing	老北京	36
lǜsè	green	绿色	14
mǐfàn	rice	米饭	38
niàokùzi	pee in pants	尿裤子	20
niàoniào	to pee	尿尿	20

拼音	英文	汉字	页码
ránhòu	then	然后	26
shàngcèsuǒ	go to bathroom	上厕所	16
shuìbùzháole	can't fall asleep	睡不着了	14
shuìzháole	fall asleep	睡着了	14
shǔshù	count	数数	16
tàizǎole	too early	太早了	14
wèi...xīngfèn	excited for...	为...兴奋	04
xiàochē	school bus	校车	12
xiǎoshànghǎi	Little Shanghai	小上海	36
xiàyǔ	it's raining	下雨	02
xīngqī	week	星期	02
xūyào	need	需要	06
yìdàlìmiàn	spaghetti	意大利面	08
yìdiǎndōubùgěi sb. miànzi	prevent embarrassment	一点都不给 somebody 面子	38
yǐhòu	after	以后	02
yóngyǒng	swim	游泳	10
yòu...yòu...	XXXXXXXXXX	又...又...	26
yùndòng	sports	运动	10
zàishānshàng	on a mountain	在山上	24
zǎoshàngwǔdiǎnsìshífēn	5:40 AM	早上5点40分	14
zhōngguófàn	Chinese food	中国饭	34
zhuànquān	spins around	转圈	30
zuì'ài	love the most	**最爱**	08
zuìhòu	last	**最后**	26

Easy Reader
Chinese as a Foreign Language
Intermediate Level

Josh
不喜欢吃地道的中国菜
Josh Does Not Like Authentic Chinese Food

Easy Reader
Chinese as a Foreign Language
Beginner Level

你有没有批萨？
Do you have a Pizza?

Easy Reader
Chinese as a Foreign Language
Beginner Level

谁的生日派对酷？
Whose Birthday Party is Cool?

Easy Reader
Chinese as a Foreign Language
Intermediate Level

一个惊喜！
A Surprise!

Easy Reader
Chinese as a Foreign Language
Beginner Level

Bobby Chop Bee 去了哪儿？
Where Did Bobby Chop Bee Go?

Easy Reader
Chinese as a Foreign Language
Beginner Level

Ben Dover 想要宠物
Ben Dover Wants to Have a Pet

Easy Reader
Chinese as a Foreign Language
Intermediate Level

吴东又改行了
Wu Dong Changes His Job Again

Easy Reader
Chinese as a Foreign Language
Intermediate Level

淘宝
Treasure Hunt

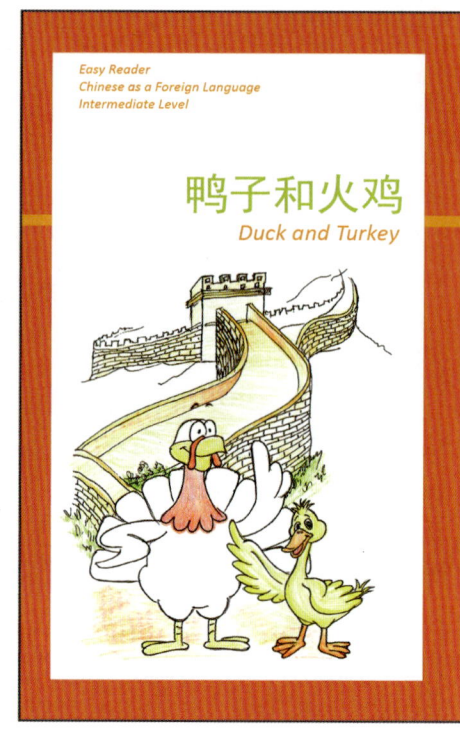